KB096678

내 가슴이 하늘에 녹아 불타는

강현만 시집

덤이

아버지는 1월 15일 하늘의 별이 되었다. (강이진, 1935~2024)

덤이

노동 현장에서 만나 강산이 세 번 반이 바뀌는 세월을 함께했다. 백두대간을 주름잡았던 신바람 김영근 동지가 갑작스러운 병명을 전했다. 소세포 폐암이다. 많은 이들이 위로와 용기를 전하고 있다. 해방, 평등, 대동 세상은 아직 멀다. 이겨내고 함께 가기를 기도한다.

차 례

하나

둘

셋

발문

강현만 kanghm21@hanmail.net

하나,

눈에

당신 좋아하는 눈에
세상은 온통 하얗게 변하고

내 눈에 세상은 하이얀
당신으로 가득하고

나는 찰나의 눈 속에
영원의 눈을 마주하며

당신이 좋아하는 눈에
하이얀 눈으로 바람입니다.

새 해 는

다사다난 한 해가 저문다는데 다사다난하지 않았던 해가 있었
다는 소리를 듣지 못했고
안 좋았던 기억은 지우고 좋았던 기억만 하라는데 연식이 바
뀐다고 달라질 기억이 없고
한해 마무리를 잘하라는데 딱히 잘할 일도 보이지 않고
늘 기쁨과 행복이 넘치라는데 그럴 수 없는 걸 뻔히 알고
건강과 행운이 함께 하라는데 심란한 마음만 더하고
만사형통하라는데 그도 아닐 것이고
새해 소망하는 일을 모두 이루라는데 그저 그러려니 하고
떠나는 해가 아쉽고 다가오는 해가 설렌다고
그 모든 인사와 덕담에 지치고 허기지고 피곤한 갈증에
저기 머얼리 수많은 날개를 단 두 모녀, 세 모녀, 청소 경비
특수고용 노동자, 노숙자, 반지하 셋방살이, 가난하고 아프고
외롭고 소외된 것은 말고

12

흔들리는 바람

나를 두른 모든 것들은
칙칙하게 어둡다

삶이 죄라서
어두운 죽음은 희망이다

어둠의 한쪽 끄트머리
나를 두른 모든 것들은

지금, 이 순간
죽음의 끝을 지켜보고 있다

내 가슴이 하늘에 녹아 불타는

사랑이 인간이고 인간이 바람입니다. 바람이 사랑에 날리고 바람이 사람에 자리합니다. 사랑에 놓인 바람 사람에 놓인 바람으로 그리움은 언제나 당신입니다. 그렇게 살아가는 것이 정해진 이치이고 숙명이라 합니다. 나의 영혼이 사랑에 차고 사랑이 목매는 것은 언제나 쓸쓸하고 외롭고 고독한 존재로서 감당해야 할 바람입니다. 때로 가난에 추위를 타고 더위에 어지러움을 느끼지만, 그 또한 바람으로 사랑에 젖고 불타는 운명입니다. 내 가슴이 하늘에 녹아 불타는 것과 같습니다.

한때나마

한때나마
자주민주통일노동해방평등
소외와 모오든 차별에 분노하였다면

한때나마
인간중심인간존중인간애로
가슴이 저리고 아팠다면

쁘띠부르주아지
인식과 이해로 오염되지는 않았는지

쁘띠부르주아지
불평등과 지배 사슬에 놓이지는 않았는지

태고의 신비를 간직한 여자의 사랑을 알 수 있을까

때로 거친 땅이 밝은 하늘에 별이 되고
태고의 땅조차 그저 순수에 머무를 때
너의 입술과 움찔대는 목에
거침없는 맞장구로 이바구로 화답할 때
마치 세상이 처음 열리고
아무것도 거칠 것이 없는 무한대의 수평선만이

찰나가 지니는 억겁의 인연이
무색하게 공간은 씁쓸하고 어색해지고
그 무게를 어떻게 짊어질 수 있을지
헤아리기가 쉽지 않음에 아무리 가슴을 밟아도
마치 세상이 처음 열리고
아무것도 거칠 것이 없는 무한대의 수평선만이

사랑

지는 노을 속에 달이 스치고
점점이 흐르던 섬 속에 불타오르는 내일이 흐르고

때로 아름다웠던 추억 빛나던 날도
쓸쓸한 외로움에 내일에 비켜서 보고

그렇게 굴비처럼
나는 목 놓아 하늘을 노래하고

운명처럼 짊어져야 할
바람이기에

아, 나는 슬픈 눈망울에 갇힌 섬
비틀비틀 사슬에 출렁이는 바람

이상한 사회

21세기
2023년 화려한 좀비의 춤사위

좀비 진영사회에서
이상하고 안타까운 몸살을 앓고
나는 채울 수 없는 외로움에 부적응한 실체로
구멍 뚫린 부끄러운 섬으로
그저 위안이라면
젖은 그리움과 사랑에 작은 바람

이상한 나라에서
바람은 언제나 외롭고 쓸쓸하지만
나는 채울 수 없는 외로움에 부적응한 실체로
쓸쓸하고 쓸쓸한 이물감으로
그저 위안이라면
젖은 그리움과 사랑에 작은 바람

비는

파란 하늘에
흐르는 비는 파랗다

검은 하늘에
흐르는 비는 검다

흰 하늘에
흐르는 비는 희다

촉촉이 접힌 우산 속
비는 들썩거렸다

하얀 사랑

밤이 하얗다
낮도 하얗다
당신도 나도 하얗다

온통 하얀
배꼽 깊은 차가운 바람
으실으실 하얗다

하얗게 조여오는 하늘
비워놓은 바람 끝자락, 포도시
붙잡은 하늘은 하얗게 질식하고

인연

그녀의 검은 가터벨트

환하고 밝은 말
세련되고 화려한 남산
느낌에 느낌이

도서관에 시간은
아름답고 푸르른데
울림 없는 느낌만

흰 단일 민족

때려죽여도 시원치 않을

곰이 사람 되던 날에
고구려 백제 신라는
때려죽여도 시원치 않을

인공지능 4차 산업혁명에도
조선민주주의인민공화국 대한민국은
때려죽여도 시원치 않을

대동강 물을 팔아먹고
눈 뜨고 코 베여 간다는
낡고 환장한 백의의 안쓰러운 동포애

미제라면 어미아비도 뒷전이고
일제라면 형제동포도 나 몰라라

빛깔 나는 백의의 안쓰러운 동포애

때려죽여도 시원치 않을

양잿물에 빠진 비둘기

미제라면 일제라면
빤스도 벗어주고 뒤지는 줄도 모르고 마시고

뒤집어 보면
뙤국이라면 삼배구고도 미치는 줄 모르고 환장하고

고구려 신라 백제가 주적이라
조선민주주의인민공화국 대한민국이 주적이라

앞 동 서서 획책하는 놈도 주적이고
따라 부화뇌동하는 미천한 것도 주적이고

세상모르고 비둘기 구구거리는 소리에
허접한 양잿물만 펄펄 끓어 대는

기도

밟혀 죽었다
개민지 벌레인지 알 수 없는,

눈을 뚫고 나온 레이저에 죽었다
휘두르는 팔에 맞아 죽었다
허공을 가르는 말에 피를 토하고 죽었다
귀를 닫았더니 말라 죽었다
열린 코에 숨이 막혀 죽었다
하루도 열심히 살고 죽었다
봄여름가을겨울 열심히 살고 죽었다

새벽이 열리면
열심히 죽거나 죽일 것이다

위로

밤새

아장아장 옹알옹알
한참을 그리고 노래하고

한참을 더듬어
시라는 걸 노래하고 그리고

옹알옹알 미소
아장아장 심장 소리

세상의 연이 들레라면

원앙새 둘이라 부부라 하고
외기러기 혼자라 부부 아니라 하고

까닥까닥 당긴다고 연이 된다면야
저 산이 밤새 울어 댈 일이 무어라

철학이 모르는 부끄러움과 염치

저 너른 들녘에 온갖 잡새가 팬데믹에 약을 치는
산천에 해가 뜨고 노을이 지는 자연스러운 날에
덤에 덤을 살아 부질없는 잡글에 철학하고도 교수라

착취와 수탈에 맞서, 젊은 목숨 바쳐 투쟁에 나설 때
강제 동원된 동포와 위안부는 게으름의 소산이고
해방투쟁에 나선 목숨은 눈에 뵈지도 않았다
그저 열심히 일하는 일본제국주의 근성에 감동했다

노동조합은 공산주의며, 문재인은 친북좌파라는
살아서 불쌍한, 하루살이 하품하다 지치고

고구려 백제 신라의 형제 동포는
무찌르자, 쳐부수자, 대명천지 원수로다
그저 미국중국일본러시아 제국주의 대국에 빌붙어
그때그때 색깔 바꿔 입신양명 불로장생 그만인 것을

주도하지도 않은 1960년 4월 혁명, 감히 혁명에는
적당히 주동자처럼 100세 넘은 입꼬리 달고

팬데믹에 죽어라 맞은 백신 약발이
좋은 봄날에 참 추하게 피어났다
덤에 덤을 살아도 부끄러움과 염치를 모르는 철학과 교수라네

결기

바르르 몸을 털고
빗속을
걸었다

침묵만
비바람 속에
길을 지웠다.

소주 한잔

소주 한잔에
피아노 선율이 흐르고
물드는 빛이 반짝이고

붉은 가로등 아래
황홀하게 넘치고 지친
소주 한잔이 구겨졌다.

분단의 베개

주먹 쥐고 어깨 걸고 빙그레 둘러쳤다

어처구니 하나씩 잘근잘근 씹어 삼켰다

점령군, 제국주의, 서북청년단, 흑과 백, 한국전쟁, 이산가족,
빨갱이, 간첩, 폭력, 고문, 살육, 독재, 민주주의 파괴, 국가보
안법, 위선과 가식, 내로남불, 좀비, 진영

형제 동포는 주적 철천지원수 미일제국주의는 혈맹

고구려백제신라는 주적 철천지원수 당과 왜는 혈맹

하품하다 찢어진 하늘에 팔뚝질만

어디쯤 무엇이 되어

약관 이십에 세상은 손바닥이었다

마음만 먹으면 그깟 어설픈 세상쯤이야

손오공 젓가락 장단에 파리 잡기에 손바닥 헤집기에 지나지
않았다

강호가 그러하듯이 눈물 콧물 피범벅이기도 했으나

그건 한갓 신화를 쌓아가는 놀음에 지나지 않았다

잔인한 진압과 폭력, 고문과 살인의 날들은

그저 새 세상을 향해 넘어야 할 장애물에 지나지 않았다

가정과 아이, 어머니와 아버지, 형제는

새 세상을 향해 함께 나가야 할 든든한 우군이었다

봄여름가을겨울 흐르는 파노라마 속에 강호는 그림이 아니었
다

아이가 나서 자라고 어느 날 약관 이십을 훌쩍 뛰어넘어 버렸
을 때

인공지능, AI, 4차 산업혁명이라는 잔인한 시간 속에 놓였을

때

엔엘피디막스레닌주의주체주의자주민주통일노동해방사노맹
온갖 이념과 조직으로 외치고 투쟁하던 몸뚱이는
목련과 벚꽃의 짧고 화려한 꿈은 영속을 노래하는 귀환이 되
어
구름에 가린 하늘을 아프게 했다
자주민주통일반전반핵양키고홈 노동해방계급해방의 구호는
돈과 자리, 권력의 사슬이 되었고 민중사관을 노래하던 역사
는
좀비가 되어 인물을 물고 빠는 좀비시대를 열었다
입은 정의로웠으나 뒤꼍은 더럽고, 막장이었다
위선과 가식의 내로남불 막장은 헌 칼 주지육림에 호들갑이었
다

약관 이십의 세 바퀴 노를 저어 못내 아쉽고 아프고 서러운
것은
조직이 없고 무기가 없고 갈기갈기 찢겨서 나부끼는 깃발의
선명한 자국

어디쯤 무엇이 되어, 오늘을 울어야 하는가.

들,

동행

부모형제배우자아이들친구이웃까지
다 가진 밤은 하얗게 흔들리고

봄여름가을겨울이 넘치게 흘러도
젖은 눈망울엔 쓸쓸함만

매미가 울어 한겨울 매화꽃을 피워도
꽃술에 달큰한 노래가 외로워

밤새 울어대던 하늘새는 허연 배를 드리우고
외로운 그네만 노를 젓네.

믿는 것은 자유이나

믿는 것은 자유이나
칼이 어디 다 똑같은 칼이랴

믿는 것은 자유이나
대동강 물을 팔고 코를 베어 가고
사기는 태초를 잉태하고

믿는 것은 자유이나
부끄럽게 추하거나 더럽게 염치는 말고
탐욕에 넘어지지 말고

믿는 것은 자유이나
만백성의 기름과 피, 눈물이니
무지, 차마, 그 욕됨의 역사는 말 것을

볼모의 하루가 길게 뻗었을 뿐

헛디딘 발에 가랑이가 찢어지는 신공을 쌓고
여기저기 머리를 찧고 박고
종일 헐레벌레 비몽사몽 해롱대는
상상의 나래에 빠져 기댈 곳이라고는
로또다
빠져버린 상상의 나래는 끝을 모르고
뻔한 개꿈에도 멈춰 세워지지 않는
컴컴한 햇살은 퀭한 하늘에 자리를 비우고
그저 안타까워 잔인하게
서늘한 상상에 빠개지고만
볼모의 하루가 길게 뻗었을 뿐

목마른 입술

흘깃 스치었다
눈에 들었으나 손은 가지 않았다
이미 오래전의 일이 되었다

몸에 좋다니
억지로 한 조각을 입에
베어 문 것이 전부였다

숟가락 정이 밀려난 일상에서
그가 자리할 곳은 특별하지 않았다
분명 한때는 귀하디 귀한 상징이었건만
지금은 딱히 손이 가거나 간절한 무엇이 아니다

세월에 녹이 슨 것일까?
열정도 긴장도 보이지 않는
간다고 달라질 것도 없어도 특별할 것도

인생의 무게가 억지로 베어 문 사과라면
외로움과 쓸쓸함에 베인 사과는
목마른 입술 어디쯤 다가서 있을까?

동맹

개구리 악다구니 찢어져라 하품하고 있다
올챙이 끌끌 혀를 찬다
올챙이 배를 딱 깔고 죽어라 하품하고 있다
개구락지 혀를 끌끌 찬다

동맹에 보내는 개구리 올챙이 환호

물면 놓지 않는 큰노랑테먼지벌레의 밥이 되는 개구리
미꾸라지 게아재비 학배기 물방개의 밥이 되는 올챙이
개구리는 올챙이 때를 모르고
올챙이는 개구리 착각에 젖고

쥐뿔도 모르고 개뿔도 없는 종자 동맹

야단법석(野檀法席) 아사리(阿闍梨) 개판
형제 동포도 몰라 보이지 않아

자다 봉창 뚜들기는 동맹과니

끌끌 악다구니, 너나 가라 꼴로쎄움 하와이

진영 그들만의 리그

썩은 내 나는 잡새 놀음에
일과를 마치지 못한 노을은
분기탱천 내일을 기약하고

산새는 검붉다.

그 잡새 그 잡새 놀음에
내일에 올라타 죽어라 박 터지고
길게 정신 줄 놓은 아우성

검붉은 산새는 덧칠하고.

늙은이의 안부

늙어도 산다

까딱까딱 배 깔고 숨쉬고
뒹굴기도 연락하기도 하는 것도
귀는 울고 이는 새고

밤새 조용하니 아늑하다.

떨리는 까닭

나는 당신으로 떨리고
당신은 저만치 바라봅니다

하늘이 흔들거리는 건
바다에 바람이 찬 까닭이겠지요.

물어라

대롱대롱 매달린 크레인
줄이 목숨줄 같다

어지러이 널린 전기와 전봇대
기둥 사이 흐르는 것은 바람

바람이 물어라 바람아 물어라
인간아 물어라 인간이 물어라

흐르는 그 바람
흔들고 뒤집고 털고 모조리 뭉개라

네가 묻지 않으니
나는 대롱대롱 축 처질 수밖에

그대는 어찌

그대는 어찌

한다는 짓이 늘 물고 빠는 짓이라
짖고 빨아봐야 솟을대문에 강아지 신세거늘

왕후장상의 씨가 따로 있더냐
포효가 생생한데도

그대는 어찌

백주대낮에 마약에 취한 것도 아니고
허구한 날 물고 짖고 빠는 짓이라

떨어지는 낙엽에 스치는 바람에
천하가 냉소와 비웃음이거늘

그대는 어찌

그 나물에 그 밥이라 타일러도
세워놓은 허상에 세월을 탕진하누나

당쟁이 주는 지배자들의 교훈을 알거든
꼬리에 날을 세우라

하늘 아래 새로운

하늘 아래 새로운
바람이 일어

바람에 밀려
저 어디쯤 부딪힌

모가 난 모래는
모난 바람에 스치우고

떼굴떼굴 굴러
터지고 깨지고 부러지고

바람이 일어
하늘 아래 새로운

바람이 비운 자리

그저 한이라면

내가 오른쪽으로 걷는 것은
같은 방향으로 달리는 차에
찍소리 없는 두려움으로 죽으라

길도 아닌 도로 따라 주소는
양놈 찾기 놀이라
의심은 불손이니

언감생심 생각을 멈추라
그대는 언제나 한결같이
사대와 양 것에 취하고

지배의 배를 채우고
떡고물에 취했으니
손이 발이 되는 신공쯤이야

그저 한이라면

Hi, how are you

여수 밤바다

여수밤바다

보글보글 끓는 낭만포차에 두 개의 전복이 오글거리고
하나 더 달라하면 된다고
아니 하나는 되었으니 둘이 드시라고
소주 둘에 맥주 하나 시원하게 들이붓고

종합 건강식품 전복으로
전복을 꿈꾸며 수십 년을 살았으니
보글보글 애끓는 전복이 전복이라

거북선대교 돌산대교 돌산공원 해양케이블카 형형색색 화려한
낭만포차에 새삼
애타는 전복이 소환되었다.

선암사 가는 길

앞서거니 뒤서거니 세 사람의 발자국이 얕은 소리를 냈다

순천에 가면 가보라는 주문이 있었다
물론 선암사는 가볼 곳으로 유명했지만
그의 권고가 있었기에 더욱 찾았음은 분명하다

넓은 길이 마음에 박혔다
한없이 넓은 길은 온통 초록으로 물든 하늘이었다
연못엔 마음과 빛이 피었다

조계산 아궁이처럼 자리한 선암사는
조용하고 차분했다 땅을 기는 와송은
재물보다 목탁 소리에 호흡을 맞추고 있었다

오래전 속삭임으로 떨었을 이끼 낀 승선교
그 발아래 눈에 밟혔을 승선루

마주 잡은 숨소리에 종이 울리고

먼지마저 가라앉은 나무와 새와 물소리
바람에 실려 간 세 사람의 얕은 신음까지
비워서 채워지는 선암사의 영혼은

가는 길에 있었다.

광복절 아침에

해방이라 태극기 휘날리는, 2023

고구려 백제 신라 가야 누구의 깃발을
들어야 하는가?

해방이라 인공기 휘날리는

고구려 백제 신라 가야 누구의 깃발을
들어야 하는가?

그것도 아니면 남북국 시대
발해 통일신라의 깃발을 들어야 하는가?

아아,
우리는 언제까지 이유도 모른 채
외세의 깃발에 아첨과 굴욕을 탑을 쌓아야 하는가?

아아,

나는 광복절 해방의 날에 새삼

주권자 민의 자주와 평등을 노래하고 있다.

내 사랑은

아침이 오는 해 오름에도
저녁이 가는 노을 짐에도

가슴이 닳아 서글피 뭉개지는

대나무 울타리를 타고 도는 바람은
몽글몽글 가슴을 태우고

아련히 아리는 바람은
그대 가슴 마디마디에 붙박여 흩뿌려져 있음을

왠지 어색했다

팔짱을 낀 손에 환한 웃음이 번지고 있다
우산 없는 비는 그대로 둘을 비추고 있다

홀로 걷는 우산이 왠지 어색했다.

물이 오르고 싹이 나는 날에도
이마가 벗겨질 듯 타는 날에도
산하가 온통 물들어 환장하는 날에도
꽁꽁 얼어버린 세상의 날에도

당신과 둘이면 되었다

해와 달이 뜨고 지는 대로
어지럽게 휘날리는 광풍 속에서도

당신과 둘이면 세상은 달콤한 바람이 되었다

팔짱을 낀 손에 환한 웃음이 번지고
우산 없는 비는 그대로 둘을 적시고

우산에 흐르는 비는 왠지 어색했다.

이파리가 떨어지는

비 한 방울에 잎 하나 떨어지고
바람 한 점에 잎 둘 떨어지고

걸음걸음 색감은 푸근하고
감기는 느낌은 발걸음에 가득하고

그렇다고 잊지는 말자 잎이
떨어지는 이유가 비와 바람은 아니라고

비우고 떠나는
이파리의 아름다운 추락

운동권

빨갱이 공산당 공산혁명분자 좌빨 좌익 체제전복 폭력 사회주의 공산주의 막스레닌주의 주체사상 노동조합 평등 계급 해방 진보 온갖 이데올로기로 덕지덕지 헤픈 치장을 하는 것이다.

자유민주주의라는 해괴한 이름으로 떡칠한 자본가 계급은 세상이 마치 처음부터 지금까지, 앞으로도 영원히 돈 놓고 돈 따먹기 세상으로 계속이라고 패대기 질을 하고 있다.

사람은 뭘까? 이른 아침부터 늦은 저녁까지 열심히 일하는 어머니와 아버지, 이웃은 왜 가난할까? 나와 너, 우리의 이웃은 왜 국가와 사회로부터 소외된 것일까?

탱자탱자 떵떵거리는 놈이나 흡혈귀처럼 빨아대는 제국의 부와 권력은 어디서 발생하는 것인가? 고루 나누고 정이 있는 평등 세상은 무엇 때문에 어려운 것인가?

소외된 삶의 뿌리를 찾아서, 묻고 회의하고 들썩이는, 조직하고 투쟁하는, 그리 살아가지는.

가끔은

바람이 스치거든

하루를 살아
왜 하루를 살아야
하루를 산다는 것은

술에 취하고
거북등처럼 갈라진 심장에
추락하는 삶에 날개를 달아야
하는 삶의 이유가 있는
하루살이였는지

내가 바람이라 스치거든

중랑천 발자국

연하거나 짙거나 구름 사이로
눈발이 날린다 누구는
첫눈이라 흥분한 손을 놀리고 있으리라

인간이 만들어낸 건물과 불빛과 자동차와 전철
그 사이로 오리는 머리를 학과 두루미는 가녀린 다리를 박고

차가운 시간의 흐름 속에
인간이 만든 영욕의 부딪침 속에
중랑천 분노에 세월이 으깨지고

중랑천 발자국은 어제도 오늘도 내일도
유유히 가는 길이라

좌파에 관하여

그런데 말입니다

당신은 좌파 같습니다

아, 그런가요

나는 좌파가 맞습니다

그런데 그게 어떤 문제가 있나요?

아, 아닙니다

다만, NL이 아닌 것 같아서 그렇습니다.

아, 그런가요

그럼, 좌파는 뭡니까?

좌파는 PD죠 PD를 좌파라고 하지요.

아, 그렇군요

내 생각은 그걸 쪼개고 나누는 것이 좀 그렇습니다

20세기도 아니고 21세기에 말입니다

민족해방 NL이든 노동자 헤게모니 PD든

다 좌파라고 생각합니다

좌파는 민중의 이익, 인민의 이익을

가장 앞세우는 것이죠 그런 측면에서

NL이나 PD나 다 같은 좌파라고 생각합니다.

혁명은 순진무구 사랑이지요

그 무엇도 아닌 인본주의, 휴머니즘이지요

NL도 PD도 특정

개인이나 집단, 조직, 정파를 위한

사리사욕에 돈과 권력을 탐하는

혁명노선은 아닙니다

우리의 노선은

세상의 주인이 되는 인민

모든 걸 직접 논의하고 집행하고 결정하는

아름다운 사랑 인민입니다

NL, PD 다 그런 것이고 그렇다면

응당 좌파인 거지요

조직에 저당 잡힌 그들만의

좌파 놀음에

대구하고 놀아 줄 인민은 없을 겁니다.

심사위원님 감사합니다

주저리주저리
심사위원님 쏟아내는
입술에 침은 바르고 쏟아내는

숏도로 못도로 마이싱이다

춤추고 쇼라도
어디에 무얼 향해
바람을 잃은 곡소리만

니미럴 못도로 니기미싱이다

크게 차린 잔칫상에
비틀린 내 영혼은
아니면 말고 그런 휘파람

아버지 가는 길

찬 서리 푸르던 날
시린 하늘은 길을 내고

시린 눈에 지척이라
아버지 북한산에 쌓이고

화장하고 돌아선 길
몽글몽글 세상은 하얀 꽃밭이고

나서나 들어서나
세상은 아버지로 떨려 옵니다

초인

어제도 오늘도 내일도

누구도 할 수 없고 바라지 않는

있는 그대로의 날 것으로
지하도와 역전은 비닐과 넝마에 전선이 되고

사시사철 맨몸으로 돌리고 소리쳐도
냄새나는 파리의 시선조차 붙들지 못하는

그 놀라운 초인의 일상은

찬란한 봄날을 앞에 두고
바싹 웅크린 눈으로 은하수에 빠졌다.

셋,

해는 질기다

지극한 효심에 두 개의 효자문을 가졌다는, 쌍문역 성당 앞,
펼쳐 놓은 작은 보자기에 야채상이 차려지고, 쪼그려 앉은 중
노인의 효심은 성당 하늘에 동동거리고 있다. 성당 하늘은 그
녀의 지나온 세월을 묻지 않았다. 펄펄 끓는 뙤약볕 살을 에
는 추위도 사시사철 그이의 질긴 운명을 막아서지 못했다. 무
심히 지나치는 수많은 사람의 시선은 보이지 않았고, 완장 찬
운명의 곡예가 서럽다. 허겁지겁 끼니를 가꾸는 손길을 따라
차가운 해는 방향을 잃었다.

들어 보이는 까닭은

몇 날 며칠 쌓인 눈에

짓무른 눈을 들어 보이는 까닭은

햇살의 무게 때문만은

아닙니다

가슴을 타고내리던 숨소리는

어느새 바람이 되어

그대 어깨에

쌓였습니다.

창조

차마 하늘을 지붕 삼고 땅을 베게 삼지 못했다

삐까번쩍 마천루에 크고 넓은 집은 아니어도
침대에서 일어났다
침을 돌게 하는 하얀 쌀밥에 반찬거리
빵에 커피 향이 넓게 퍼진다
큰 차 작은 차 줄줄이 달린 기차
각자의 처지에 맞는 도구가 있다
취향에 맞는 저녁과 술자리
온갖 것으로 꾸미고 음향으로 치장했다

내가 있었고 있고 있게 만드는
노동은 소외다
돈과 권력이 주인 되는 세상에서
일하는 자는 무소유다

노동하는 자는 그 옛날부터

헛것의 관념에 자신을 내놓은 지 오래다.

창살이 그리는

하이얀 꽃잎이
잠 못 들고 떨라치면

저 멀리 달이 떨고
그 뒤에 숨겨 놓은 해도 떨라치면

창살은 온통 임으로
부서지고 채워지는 바람

파사성

강엔 구불구불 푸르른 만석이고
들녘은 푸근하고 넉넉하고 충만하고
마음 가득 하늘은 달항아리에 담겼다

건강하고 아름다운 소나무에
성벽마저 돌 틈을 비켜내고
소나기 소리 평안과 쉼의 노래라

파사성이 어깨를 들썩이는 까닭은
오롯이 맞닿은 심장이니

2024년 대한민국의 정치

며칠째 내리는
비는 눈에 흐르고
녹아 내는 눈은 가슴에 아리고

40년 가까운 비판적 지지는
비례위성정당 합리화에 목을 매고
독자정당 막스레닌주의는
끝내 게으른 집착에 위안이 되고

진보정치 하나로, 진보정당대통합은
모르쇠로 낡은 유물로 폐기되고 말았다

나를 따르라 당을 쫓으라
엘리트주의 놀음의 한계는 진행형이다

주권자 민의 정치는

모든 특권과 잘난 선출선거제를 부수는
토론 투표 집행 결정은 민의 몫이라

쓰린 가슴에 붓는 술은
서러움과 고통스러운 아픔으로
사십년 회한과 자책으로
하얀 눈밭에 피를 흩뿌린다

달빛 없는 밤 들이치는 비에 눈에 술에
녹아나는 가슴에도
희미한 미소가 겹치우고 있다

잘난 엘리트주의 정당과 정치가 끝나고
너나 나나 누구나 민의 통치와
정치가 내일이다

가로등과 네온싸인에 반짝이는 술잔은
하얗게 빛을 밝히운다.

임이여

임이여
내 마음은 시들고 지쳐 가오

스치우는 작은 바람에 몸서리치다가
공허였음에 상처를 덧대고

아득히 아려 오는
황량한 비바람 눈보라에 익숙해지기도 하련만

도무지 적응이 아니 되는 이유가
나의 무지와 게으름만 아니리오만

물오르고 피어나는 봄 햇살
떨리우는 감격에 위로 담아

차마 용기 내어 헤아려 봅니다.

봄

실핏줄 타고 오르는 물소리

물오르는 색감

어느 해 봄

살랑살랑 춤사위의 바람이 이는 좋은 계절에
고통에서 편해지고 싶었다는 아들은 목을 매고

춤사위 따라 애교스러운 꽃망울은 물이 한창인데
단단하게 맨 줄 알았던 끈이 부러지고

천지사방은 봄기운으로 솟구치는데
정확히 중심부를 뚫은 마음은 납덩이에 깔려 뭉개지고

도무지 아무것도 잡히지 않는 어지러움에
천근만근 무력해지는 수상한 시절이 깊고

꽃이 밧줄이라
새삼 인생이 길다.

사는데 무슨 이유가 필요해

현아,
현아, 그냥 살아
현아,
현아, 어려운 생각일랑
지우고 살아, 그냥 살아

아비도 그렇게 살았고
어미도 그렇게 살았어
다들 서러워 눈물지며
모진 광풍에
치이고 밀리며 산다

스무 해하고도 4년이 지났는데
새삼 편안해지고 싶을
이유 따위는 필요 없어

납덩이를 베어 문 물먹은 솜처럼

도무지 알 수 없는

하루가 사라지는 거야.

이번 역은

이번 역은

중곡 중곡 내리실 분은 오른쪽입니다
상냥한 발음에도 화가 치민다

그래 왼쪽 용마산에 내리면 어쩔 건데
안 내리면 어쩔 건데

갈림길에 선 군자 상봉 태릉 노원역에
화살표는 망한 표정이다

오른쪽 왼쪽 질척대다가 나는
알 수 없는 어디에 버려졌다

버려진 것도 개의치 않고
꾸역꾸역 어둠 속을 걸었다

숨 막히는 하루에도
어김없이 떠오르는 붉은 태양은

표정을 잃고 버려졌다.

언제나 늘 그래왔던 것처럼

누가 나에게 괜찮냐고 물을 때면 언제나 늘 그랬던 것처럼, 응 괜찮아 좋아하고 말했다

나는 몇 번이나 솔직했을까?

딱 한 가지 내가 아는 건 난 그 형편없는 시간 속에 단 한 번도 괜찮은 세상이 없었다

난 확실했다, 계급의 사슬에 맞서 싸우는 저항과 몸부림은 내 이전에 있었으며, 나는 그때부터 지쳐 있었고, 미소는 고문과 폭력, 살상의 이미지를 대신한 인내였으며, 아침엔 아무것도 일어나지 않아야 했고, 구속과 억압, 굴종과 지배의 세상에 언제나 늘 그래왔던 것처럼.

아들 연가(戀歌)

지친 실루엣 사이로
아침 고요의 눈이 들이쳤다.

편해지려던 지난밤의 사투는
끊어진 줄로 앙상했다.

꿈쩍도 하지 않는 고요는
짱돌과 화염병의 비명이었다.

목숨줄에
짱돌과 화염병은 애끓는 노래가 되었다.

희극과 비극 사이

무리를 이뤄야 생이 보전되던 때부터
농자천하지대본 깃발이 펄럭일 때
장수는 희극이기도 했으나

자본이 주인 되는 세상에서
돈맛에 찌든 장수는
소외의 그늘이 낳은 비극

앎의 의미

임의 삶이 아름다울 수 있는 것은

가진 것이라고는
만들고 멈추고 세우는 힘

거꾸로 돌아
제 자리를 잡아가는

대! 깨!

난리법석 호들갑
진영에 살고 진영에 죽는

그러다가도 언제 그랬냐는 듯이
안면몰수 색을 바꾼다

내 편은 둘도 없는 공동체가 되고
네 편은 그저 죽일 놈이 되고

지가 앉을 주권자 주체의 자리는
물고 빨 배신의 허깨비에 바치고

환호작약 큰 목소리 깨시민에
대가 붙어 대!깨!

바람이어라

임, 사랑하는 임, 임 하나쯤은

상처와 고통이라는
진흙밭에 발기발기 찢기고 밟히어도

자본과 권력에 머리 조아리지 않는
돈과 탐욕의 노예가 되지 않는

임 하나쯤은
땅 사고 아파트 사고 건물에 빨아대는
임 하나쯤은
자리에 권력에 비비고 조아리지 않는

꽃향기, 임으로 바람이어라
임 하나쯤은 바람이어라

흔적 10년

세월호 10년이라 한다
달라지거나 바뀐 것 찾기는 부자 바늘귀 뚫기다
진상규명 책임자 처벌은 구름에 걸쳤다

세월호 10년에 눈물만 차곡차곡 쌓았다
진상규명 책임자 처벌은
모욕적인 시늉의 끈으로 길다

세월호 팔아
대통령, 국회의원, 한자리 차지하고
돈까지 쓸어 담았다

단원고 팽목항 광화문 세월호
10년의 흔적은 화살이 되어
오롯이 국민의 심장에 박혔다

개나리 진달래 라일락꽃의 향이

피어 붉다

흔적 10년 그리고 또

엄마

세월호

아,

마지막까지

불렀을

그 이름

엄마

엄마

엄마

초록이 빛나는 날에

태양이 뜨고 밝았다
바람이 불고 눈보라가 밀려왔다

나는 신이 없다고 했다
너는 신을 믿는다고 했다
너는 신이 없다고 했다
나는 신을 믿는다고 했다

태양이 움직임을 멈추자
바람이 사라지고 눈보라도 보이지 않았다

세상은 그러니 했고
나는 조용히 눈을 감았다.

'내 가슴이 하늘에 녹아 불타는' 시인 강현만
　- 네 번째 시집 발간을 축하하며

정세용(시인)

　강현만 시인과 어울린 인연이 40년이 되어간다. 정확한 시기와 기간을 확정할 수는 없지만 돌이켜 보면 일제강점기 '역사적 시간의 부피'와 유사한 삶의 공간에서 부대껴 왔다고 할 수 있다.

　82년도에 대학에 입학한 나는 한 학기를 다니고 나서 휴학한 다음 어찌어찌 군 복무를 마치고 복학했다. 당시 남한사회는 억압과 굴종을 타파하려는 사회적 활동이 왕성했다. 이른바 '운동권' 동지로서 투쟁과 변혁은 당면과제였다. 20대 초반의 젊은이들이 현실을 타파하고자 목숨을 걸었고 그 실천의지로서 특정한 사상이념으로 결의를 다지기도 했다. 그와의 인연은 그렇게 시작되었다.

세상도 변하고 사람도 변했다. 정확하게 말하자면 '변한' 세상은 다른 변화를 필요한 '물성'을 가진 채 흘러가고 있다. 이런 시점에서 강현만 시인은 변한 세상에서 경직되어 가는 사회운동이나 역사 인식에 생생한 바람을 불어넣으려 한다.

그가 시집을 내어놓을 때마다 상당 부분 차지하는 주제나 시어가 있다. 〈바람〉은 이번 시집에서도 여전히 큰 흐름을 차지한다.

■ 바람 이야기

나를 두른 모든 것들은
칙칙하게 어둡다

삶이 죄라서
어두운 죽음은 희망이다

어둠의 한쪽 끄트머리
나를 두른 모든 것들은

지금, 이 순간
죽음의 끝을 지켜보고 있다

(「흔들리는 바람」 전문)

자연적 현상으로서의 바람은 자연 대기에서 기압이나 온도 등 조건에 따라 생기는 대기의 이동일 테지만 강현만 시인은 '공간' '대체지역' '자유'로 인식한다. 자유롭게 변주되는 시인의 시편을 살펴보면

'비틀비틀 사슬에 출렁이는 바람'(「사랑」), '흐르는 그 바람/흔들고 뒤집고 털고 모조리 뭉개라'(「물어라」), '바람이 일어/하늘 아래 새로운/바람이 비운 자리'(「하늘 아래 새로운」)에서 허무나 공백을 넘어선 '흐름', '운동'을 찾을 수 있다.

'먼지마저 가라앉은 나무와 새와 물소리/바람에 실려 간 세 사람의 얇은 신음까지/비워서 채워지는 선암사의 영혼은'(「선암사 가는 길」), '해와 달이 뜨고 지는 대로/어지럽게 휘날리는 광풍 속에서도/당신과 둘이면 세상은 달콤한 바람이 되었다'(「왠지 어색했다」), '비 한 방울에 잎 하난 떨어지고

100

/바람 한 점에 잎 둘 떨어지고 … 비우고 떠나는/이파리의 아름다운 추락'(「이파리가 떨어지는」), '술에 취하고/거북등처럼 갈라진 심장에/추락하는 삶에 날개를 달아야/하는 삶의 이유가 있는/하루살이였는지/내가 바람이라 스치거든'(「가끔은」), '춤추고 쇼라도/어디에 무얼 향해/바람을 잃은 곡소리만/니미럴 못도로 니기미싱이다'(「심사위원님 감사합니다」), '창살은 온통 임으로/부서지고 채워지는 바람'(「창살이 그리는」), '살랑살랑 춤사위의 바람이 이는 좋은 계절에/고통에서 편해지고 싶었다는 아들은 목을 매고'(「어느 해 봄」), '꽃향기, 임으로 바람이어라/임 하나쯤은 바람이어라'(「바람이어라」).

위 시구들에서 드러나는 '바람'은 분리와 추락을 동반하기도 하지만 동시에 시인 자신이기도 하다. 가난, 고통, 외로움, 소외는 그의 시 「새해는」에서 '저기 머얼리 수많은 날개를 단 두 모녀, 세 모녀, 청소 경비 특수고용노동자, 노숙자, 반지하 셋방살이, 가난하고 아프고 외롭고 소외된 것' '바람을 잃은 곡소리'가 되어 시어로 가다듬어져 표제 시에 안착한다.

사랑이 인간이고 인간이 바람입니다. 바람이 사랑에 날리고 바람이 사람에 자리합니다. 사랑에 놓인 바람 사람에 놓인

바람으로 그리움은 언제나 당신입니다. 그렇게 살아가는 것이
정해진 이치이고 숙명이라 합니다. 나의 영혼이 사랑에 차고
사랑이 목매는 것은 언제나 쓸쓸하고 외롭고 고독한 존재로서
감당해야 할 바람입니다. 때로 가난에 추위를 타고 더위에 어
지러움을 느끼지만, 그 또한 바람으로 사랑에 젖고 불타는 운
명입니다. 내 가슴이 하늘에 녹아 불타는 것과 같습니다.

(「내 가슴이 하늘에 녹아 불타는」 전문)

■ 빠와 좀비, 혹은 지역이나 국가

운동권 동지로서 조직적 활동 과정에서 벌어졌던 '이념적
경직성과 실천 투쟁에 따른 성취와 회한' '20대 청춘에서 육
갑이 되는 세월' 앞에서 겪어내야 했던 '세상살이'를 거쳐 강
현만 시인이나 나는 자연인이자 시인이 되어 마주 앉아 술잔
을 기울이곤 한다. 학생운동권치고 짱돌이나 꽃병, 사상투쟁과
거리를 둔 이는 없었을 것이다. 이른바 일반 학우와 구별되는
'오르그' 구성원들은 장신대라는 마이너캠을 떠나 각자 처한
삶의 자리에서 메이저 국가시스템과 타협하거나 싸우거나 무
시하거나 분노하면서 나름대로 방점을 찍으며 살아가고 있다.

어떤 이는 너무 빨리 세상과의 인연이 끝났고, 어떤 이는 너무 세련되고 능숙하게 세상과 타협했다. 이러지도 저러지도 못한 채 엉성한 발걸음으로 골방에서 축축한 가슴만 쓸어내리는 이들도 적지 않은 듯하다. 진보의 출발은 과거나 현재 눈앞에서 일어나는 일련의 '사건'을 직시하는 데 있다. 진보 지향성은 그 끈을 놓지 않으려 자신과 타자와의 싸움을 지속하는 데 있으며, 진보의 미래는 어제보다는 오늘이, 오늘보다는 내일의 삶이 더 좋아질 것이라고 믿는 결심, 그리고 무엇보다도 중요한 것은 개인이나 조직의 정체성을 향해 언제든지 부정하거나 변화, 발전시킬 가능성이 있는 관계여야 진보의 자격이 주어진다고 생각한다.

최근 한국 사회 정치 지형에서 이른바 진보와 보수로 대비되는 민주당류와 국힘당류는 진정 그런 정체성을 가지고 있는 정치세력일까? 질문과 반성을 잊은 역사는 언제나 반동으로 자리매김하며 그것을 뒤집는 힘을 반면교사로 예시되고는 한다.

강현만 시인은 반성과 비판의 미덕을 홀대하고 세력화된 정치권력-희망 고문, 현실적 한계-에 과거의 삶과 현재의 동력을 헌납하는 일련의 행위자들에게 좀비나 빠라 명명하고 일관되게 그 폐해와 무지성을 고발한다.

빠나 좀비의 무지성이 부정적인 한 축이라고 한다면 다른 한 축도 있다. 제국, 이념으로 나뉜 국가 단위, 정치적 분탕질에 놀아나는 국가 내 지역이 그것이라 할 것이다.

인공지능 4차 산업혁명에도
조선민주주의인민공화국 대한민국은
때려죽여도 시원치 않을

대동강 물을 팔아먹고
눈 뜨고 코 베여 간다는
낡고 환장한 백의의 안쓰러운 동포애

미제라면 어미아비도 뒷전이고
일제라면 형제동포도 나 몰라라

(「흰 단일 민족」 3, 4, 5연)

시인의 생각은 다음 시에서 더욱 구체화 된다. '미제라면 일제라면/빤스도 벗어주고 뒤지는 줄도 모르고 마시고/고구려 신라 백제가 주적이라/조선민주주의인민공화국 대한민국이 주적이라/세상모르고 비둘기 구구거리는 소리에/허접한 양잿물만 펄펄 끓어 대는'(「양잿물에 빠진 비둘기」 일부)

노동조합, 팬데믹, 위안부, 미중러일 등 과거나 현재 한국사에서 빼놓을 수 없는 이슈들이 있다. 이른바 지식인들이 사상이나 학문의 자유를 들어 역사를 왜곡하거나 민의를 호도하는 일이다. 역사는 과거나 현재의 사건을 해당 시기(동시대)에 개인적, 학문적 주관으로 바라보는 '대상물'이기는 하다. 그렇지만 객관적으로 용인할 수 있는 최소한의 사실조차 주관적 맥락에 끌어다 쑤셔 넣으면서 그것이 〈객관적 사실〉을 주관적으로 해석할 수밖에 없는 학자적 양심이자 연구라고 강변하는 이들이 있다. 그 면면을 들여다보면 '학자적 양심'으로 포장된 자기합리화, 기존의 딱딱한 시선을 깨려고 노력하다 보니 불가피하게 발생하는 표현과 논리의 불협화음이라고 치졸한 변명에 그치는 경우가 다반사다.

'덤에 덤을 살아도 부끄러움과 염치를 모르는 철학과 교수'가 '강제 동원된 동포와 위안부는 게으름의 소산' '미국중국일본러시아 제국주의 대국에 빌붙어/그때그때 색깔 바꿔 입신양명 불로장생 그만'(「철학이 모르는 부끄러움과 염치」

105

일부) 이라고 생각하는 것을 시인은 질타한다.

■ 그런데도 '한참을 더듬어 시라는 걸 노래'하는

중곡 중곡 내리실 분은 오른쪽입니다
상냥한 발음에도 화가 치민다

그래 왼쪽 용마산에 내리면 어쩔 건데
안 내리면 어쩔 건데
.

.

.

오른쪽 왼쪽 질척대다가 나는
알 수 없는 어디에 버려졌다

버려진 것도 개의치 않고
꾸역꾸역 어둠 속을 걸었다

숨 막히는 하루에도

어김없이 떠오르는 붉은 태양은

표정을 잃고 버려졌다.

(「이번 역은」 일부)

'꾸역꾸역 어둠 속을 걷다' '표정을 잃고 버려진 태양'에서 시인이 잡은 펜 끝이 떨리고 있다는 것을 느낄 수 있다. 하지만 그런데도

아장아장 옹알옹알
한참을 그리고 노래하고

한참을 더듬어
시라는 걸 노래하고 그리고
(「위로」 2, 3연)

'시라는 걸 노래하는' 시인은 자신만의 시선으로 세상을 바라보고 있음을 알린다.

파란 하늘에

흐르는 비는 파랗다

검은 하늘에
흐르는 비는 검다

흰 하늘에
흐르는 비는 희다

촉촉이 접힌 우산 속
비는 들썩거렸다

(「비는」 전문)

　강현만 시인이 최근 반도 바닷가 쪽 길을 일주하고 있다. 시간이 나는 대로 이어걷기를 하는 그의 뚝심과 결심은 짠물과 황토 먼지바람으로 더욱 단련되고, 사람과 땅과 바람의 냄새를 작품에 진하게 녹여낼 것이기에 기대가 크다. 동지에서 문우에 이르기까지 사람 사이 인연으로 마주할 때마다 시인의 큰 어깨가 듬직하다.

시인의 말

살아야 하는 이유를 묻기에는 너무 많이 와 버렸다. 이제 '죽음'이 과제다. 잘 죽어야 한다. 잘 죽기 위해 연구하고 찾아야 하는 세월이다. 덤의 인생이 부끄럽지 않아야 한다.

불평등 계급사회에서는 단 한 사람도 자유롭고 행복할 수 없다. 진영과 좀비의 시대는 열사를 모욕하고 부끄럽게 한다.

살아야 하는 작은 목숨이 인간이기를 소망한다. 살아지는 삶의 모습 속에 영혼이 아름답기를. 기후 재앙이 엄습하고 있다.

내 가슴이 하늘에 녹아 불타는

초판발행 2024년 7월 19일

지 은 이   강현만
펴 낸 이   강현만
펴 낸 곳   덤이
출판등록   2021년 6월 16일(번호738-90-01459)
주   소   01463)서울시 도봉구 도봉로104길130, 제103호
전   화   010-7925-2058
이 메 일   kanghm21@hanmail.net

ISBN 979-11-93405-03-1
값 11,200원